Manualidades en **5** pasos

cuentas de colores

Parramón

Cuentas de colores

Proyecto y realización de Parramón Ediciones, S.A.

Dirección editorial: Jesús Araújo
Ayudante de edición: Sandra del Molino
Textos y realización de ejercicios: Anna Llimós
Diseño de la colección y maquetación: Leonardo Ribero
Fotografías: Nos & Soto

Primera edición: septiembre 2006
© 2006 Parramón Ediciones, S.A.
Editado y distribuido por Parramón Ediciones, S.A.
Ronda de Sant Pere, 5, 4ª planta
08010 Barcelona (España)
Empresa del Grupo Editorial Norma de América latina

www.parramon.com

Dirección de producción: Rafael Marfil
Producción: Manel Sánchez
Preimpresión: Princeps. Artes Gráficas Digitales
ISBN: 84-342-2893-9
Depósito legal: B-33.526-2006
Impreso en España

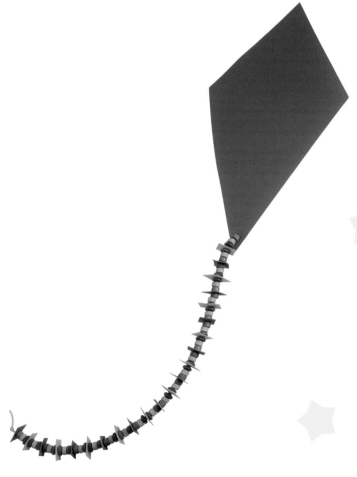

Sumario

Cometa

MATERIALES

Plásticos lila y anaranjado
Cordón de plástico anaranjado
Cuentas de madera lilas, anaranjadas
y verdes
Cinta adhesiva
Tijeras
Punzón

1 Dibuja y recorta un rombo de plástico lila y realiza un agujero en una esquina con un punzón.

2 Pasa un trozo de cordón de plástico anaranjado por el agujero y anuda un extremo.

3 Recorta cuadrados lilas y anaranjados y hazles un agujero en el centro con el punzón.

4

4 Pasa tres cuentas de madera (una lila, una anaranjada y una verde) por el cordón y luego pasa un cuadrado de plástico anaranjado o lila; repítelo e intercala los cuadrados.

5 Con cinta adhesiva, pega un trozo de cordón de plástico anaranjado por la parte de atrás de la cometa; te servirá para colgarlo.

¡Cuélgala en tu habitación!

Pulsera y anillo

MATERIALES

Cuentas de plástico rojas,
anaranjadas y verdes
Alambre
Alicates

1 Dobla un extremo de un trozo de alambre con unos alicates, con la ayuda de un adulto, e introduce una cuenta anaranjada, una roja y dos verdes.

2 Continúa introduciendo cuentas en este orden: una anaranjada, una roja y dos verdes.

3 Al llegar al otro extremo del alambre, dóblalo del mismo modo que al principio, para que no se salgan las cuentas.

4 Dobla el alambre alrededor de tu muñeca para lograr la forma de espiral.

5 Con un trozo de alambre más corto, realiza el anillo siguiendo los mismos pasos que con la pulsera.

¡Para ti o para quien quieras!

Gusano

1 Modela cuentas de distintos tamaños de barro e introdúcelas una a una en palitos.

2 Con la ayuda de un adulto, dobla el extremo de un trozo de alambre con unos alicates. Luego introduce una cuenta de barro redonda y grande; será la cabeza.

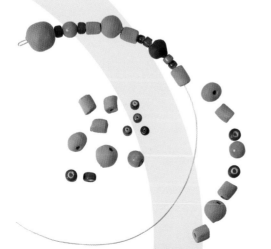

3 A continuación, introduce cuentas de colores de plástico y de cristal hasta el final del alambre. Combínalas para que no se repitan.

4 Dobla el otro extremo del alambre y pinta la cara del gusano.

5 Retuerce el alambre para colocar al gusano en la postura que más te guste y pégale el pelo.

¡Una serpiente muy divertida!

Punto de libro

MATERIALES

Cuentas de plástico anaranjadas,
rojas, amarillas y verdes
Cartulinas azul, anaranjada
y blanca
Lana roja
Rotulador negro
Cola blanca
Punzón
Tijeras

1 Recorta un
rectángulo de cartulina azul
y, con la ayuda de un punzón, hazle
cuatro agujeros en uno de los lados cortos.

2 Pasa un trozo
de lana rojo por
uno de los agujeros,
introduce varias
cuentas por él y
anuda los extremos.

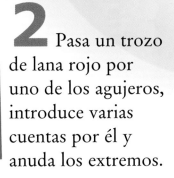

3 Repite el paso anterior en los tres
agujeros restantes, para obtener las
ocho patas del pulpo.

4 Dibuja y recorta el cuerpo del pulpo en una cartulina anaranjada.

5 Recorta dos ojos y tres burbujas de cartulina blanca, pégalos a la cartulina azul y pinta las pupilas y la boca con el rotulador negro.

¡Señala la página que estás leyendo!

Casa de alambre

MATERIALES

Cuentas de madera rojas, anaranjadas, verdes y negras
Alambre
Alicates

1 Corta un trozo de alambre e introduce siete cuentas rojas.

2 Luego, introduce diez cuentas anaranjadas, tres verdes, doce negras y otras tres verdes.

3 A continuación, introduce diez cuentas anaranjadas y siete rojas.

4 Para formar la casa, dobla el alambre por los puntos en los que las cuentas cambian de color.

5 Por último, dobla los extremos del alambre con unos alicates, con la ayuda de un adulto, e introduce un extremo dentro del otro para cerrar la casa.

¡Invéntate otras formas!

Collar de barro

MATERIALES

Barros ocre, marrón, blanco,
negro, verde y azul
Cuchillo de plástico
Pinturas roja, amarilla, verde y azul
Cordón de algodón anaranjado
Palitos
Pincel
Tijeras

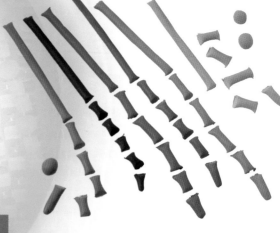

1 Realiza una especie de churro de barro de cada color y luego córtalo a trocitos (tipo macarrón). También haz alguna bola para los cierres.

2 Para agujerear las cuentas, introduce los macarrones y las bolas por un palito.

3 Una vez las cuentas estén secas, píntalas como quieras.

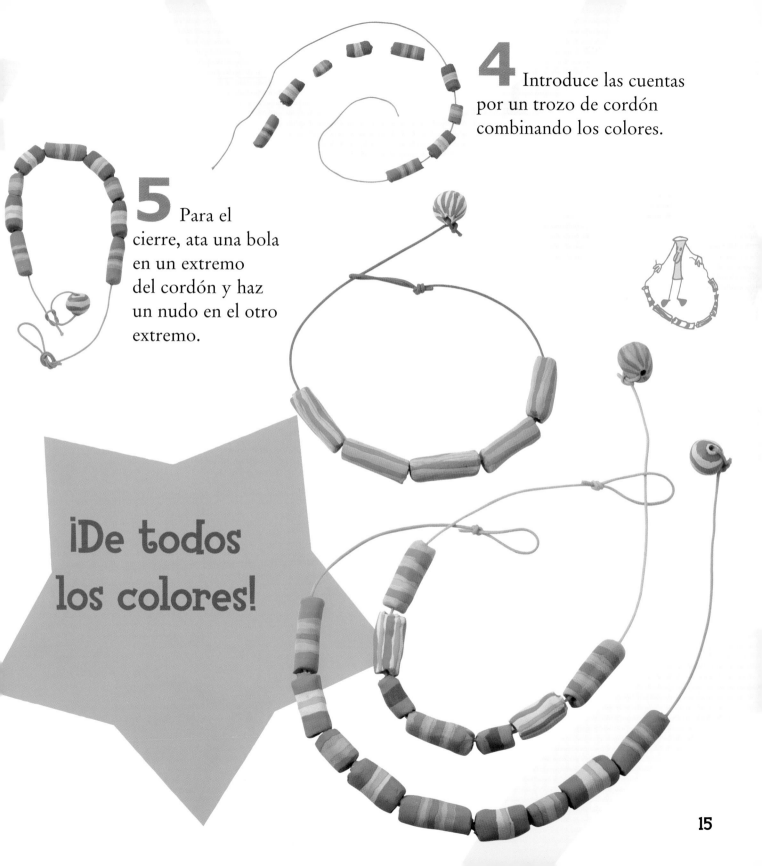

4 Introduce las cuentas por un trozo de cordón combinando los colores.

5 Para el cierre, ata una bola en un extremo del cordón y haz un nudo en el otro extremo.

¡De todos los colores!

15

Llavero - bailarina

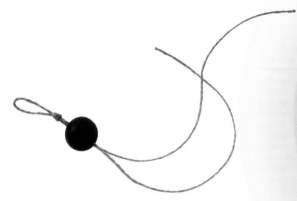

MATERIALES

Cuentas de madera anaranjadas y verdes
Cuenta ovalada marrón
Botón grande rojo de dos agujeros
Bola oscura
Pinturas roja, negra y blanca
Cordón
Pincel
Tijeras

1 Haz un nudo en el centro de un trozo de cordón y pasa los extremos por el agujero de la bola oscura (cabeza).

2 Anuda otro trozo de cordón debajo de la cabeza y pasa cuentas anaranjadas y verdes para hacer los brazos. Luego, anuda los extremos del cordón.

3 Pasa la cuenta ovalada marrón por los extremos del cordón de la cabeza para obtener el cuerpo.

4 A continuación, pasa el botón a modo de falda.

5 Por último, pasa cuentas por los extremos del cordón para las piernas y pinta los ojos y la boca. Luego, anuda los extremos.

¡Es un precioso llavero!

Pavo real

MATERIALES

Cuentas de plástico,
madera y cristal
Plastilinas azul
y anaranjada
Punzón
Alambre
Alicates

1 Modela el cuerpo del pavo real con plastilina azul y el pico con anaranjada.

2 Dobla el extremo de un trozo de alambre con unos alicates, con la ayuda de un adulto, e introduce una cuenta de madera verde y luego una lila.

3 A continuación, introduce tres cuentas de plástico (azul, verde y anaranjada) y una de cristal lila y continúa la serie.

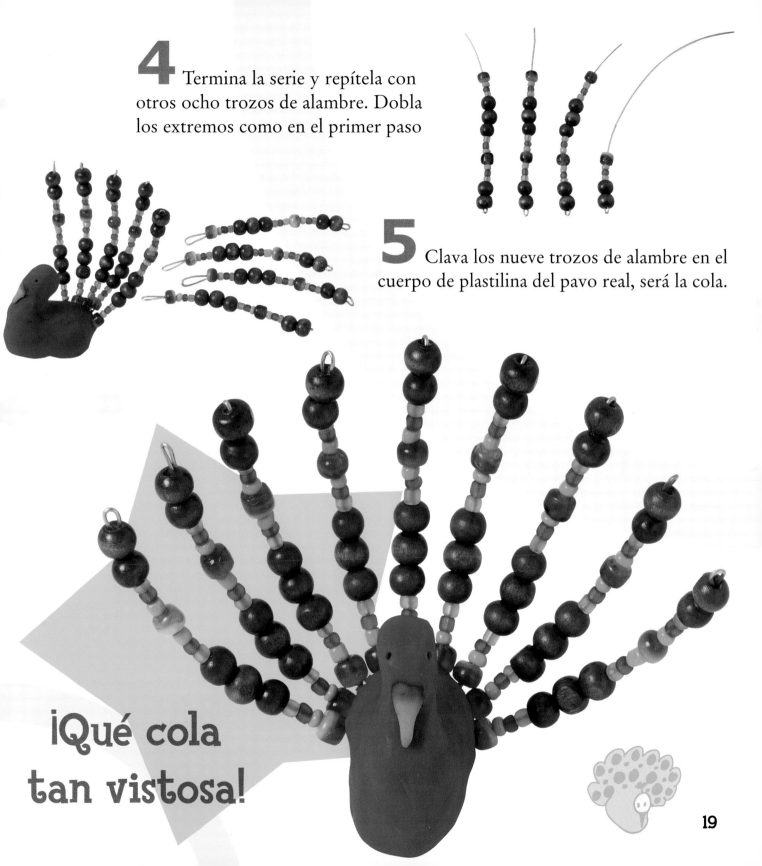

4 Termina la serie y repítela con otros ocho trozos de alambre. Dobla los extremos como en el primer paso

5 Clava los nueve trozos de alambre en el cuerpo de plastilina del pavo real, será la cola.

¡Qué cola tan vistosa!

Collar estrellado

1 Modela una plancha de barro y dibuja estrellas y trapecios con la ayuda de un palillo.

MATERIALES

Barro ocre
Cuentas de madera lilas, naturales y verdes
Pinturas anaranjada y verde
Goma elástica verde
Cuchillo de plástico
Palillo redondo
Rodillo
Pincel

2 Corta las figuras con el cuchillo de plástico y atraviéselas con el palillo.

3 Una vez secas, píntalas de color anaranjado y verde.

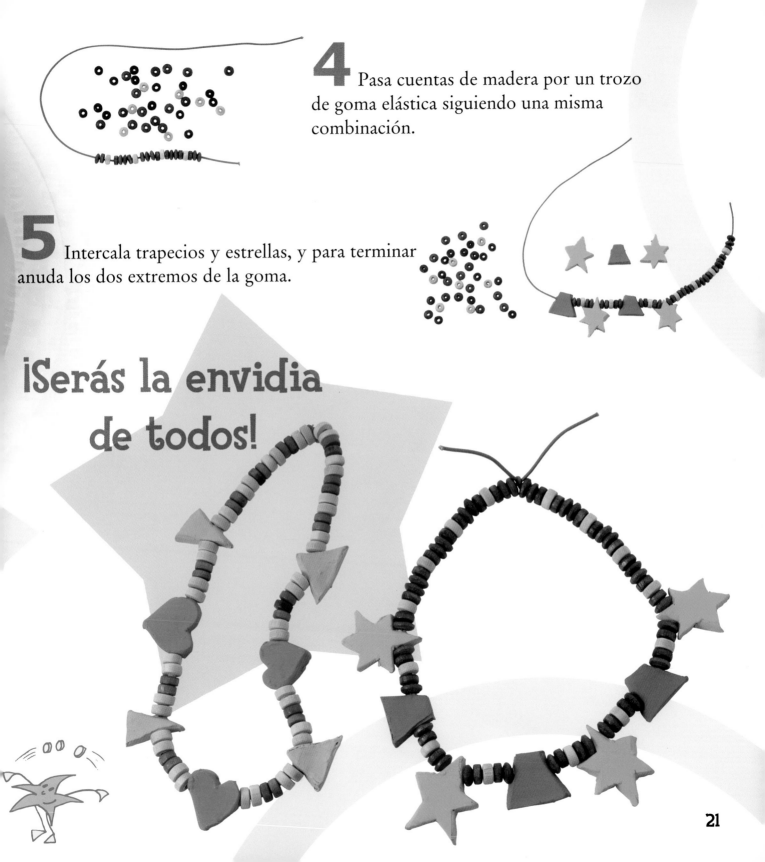

4 Pasa cuentas de madera por un trozo de goma elástica siguiendo una misma combinación.

5 Intercala trapecios y estrellas, y para terminar anuda los dos extremos de la goma.

¡Serás la envidia de todos!

Flores

MATERIALES

Cuentas de madera verdes,
rojas y anaranjadas
Gomas elásticas verdes y rojas
Tijeras

1 Corta un trozo de goma elástica verde, anuda un extremo e introduce una cuenta redonda verde.

2 Introduce tres cuentas verdes planas y sigue la serie.

3 Haz un nudo e introduce una bola anaranjada, que será el centro de la flor.

22

4 Corta un trozo de goma elástica roja e introduce cuentas rojas.

5 Anuda los dos extremos de la goma elástica roja para formar un círculo de pétalos rojos y encájalo alrededor de la cuenta anaranjada.

¡Flores para regalar!

Collar y pendientes

MATERIALES

Cuentas de plástico de colores
Cordón de plástico de colores
(hueco por el centro)
Palo metálico para pendiente
Cierre de pendiente
Alambre
Alicates
Tijeras

1 Corta trozos de cordón de plástico de distintos tamaños y colores.

2 Corta un trozo de alambre e introduce por él los trozos de plástico cortado y cuentas de plástico. Alterna trozos de plástico y cuentas de colores.

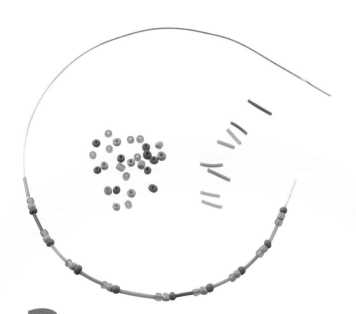

3 Para realizar el cierre, introduce por el alambre dos trozos de plástico más largos y dobla cada extremo con unos alicates. Pide ayuda a un adulto.

4 Pasa cuentas y un trozo de plástico por el palo del pendiente.

5 Para colocar el cierre, dobla el extremo del alambre con unos alicates, con la ayuda de un adulto.

¡Qué guapa vas a estar!

25

Serpiente

MATERIALES

Cuentas de plástico rojas
Cuentas de madera negras y naturales
Rotulador negro permanente
Cola blanca
Alambre
Alicates

1 Dobla el extremo de un trozo de alambre con unos alicates, pide ayuda a un adulto, e introduce una cuenta roja, otra negra y una de color natural.

2 Sigue la serie hasta llenar todo el trozo de alambre y dobla el extremo como en el primer paso.

3 Para hacer la forma de la cabeza, retuerce un extremo del alambre.

26

4 Retuerce el alambre para dar forma al cuerpo de la serpiente.

5 Para los ojos, pinta un punto negro en dos cuentas de madera de color natural y pégalas a la cabeza de la serpiente.

¡Cuidado, muerden!

Cinturón

MATERIALES

Cuentas de madera lilas, amarillas,
anaranjadas y granates
Cordones de algodón anaranjados
y amarillos
Tijeras

1 Corta y anuda cuatro pares de cordón
amarillo y anaranjado e introduce una cuenta po
cada par (dos lilas y dos amarillas).

2 Introduce dos cuentas anaranjadas y otra granate
de manera que las cuatro parejas queden unidas.

3 Luego introduce de nuevo
cuatro cuentas más para volver
a la figura inicial. Repite la serie.

4 Sigue la serie hasta obtener una tira lo suficientemente larga como para usarla de cinturón.

5 Trenza los dos extremos de los cordones y anúdatelos alrededor de la cintura.

Un cinturón muy elegante.

Servilletero

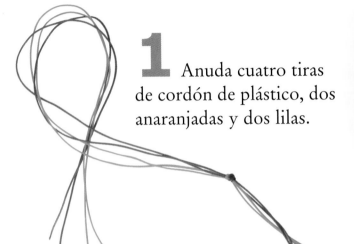

1 Anuda cuatro tiras de cordón de plástico, dos anaranjadas y dos lilas.

MATERIALES

Cuentas de madera lilas
y granates
Cordones de plástico lilas
y anaranjados

2 Introduce una cuenta granate por cada cordón lila y una cuenta lila por cada cordón anaranjado.

3 Haz un nudo con los cuatro cordones e introduce cuatro cuentas más.

4 Sigue la serie y, cuando la tira ya tenga la longitud que deseas, haz un nudo en cada lado.

5 Por último, anuda los dos extremos de la tira y corta los trozos de cordón sobrantes.

¡Decora tus servilletas!

cuentas de colores

¿Podré hacerlo?

• Las catorce manualidades que te proponemos en este libro son súper-fáciles. Sin embargo, algunas son más sencillitas que otras. Mira la siguiente tabla y decide el trabajo más adecuado para ti. ¡Seguro que puedes hacerlos todos!

• Si algún paso te resulta un poquito más complicado, siempre puedes pedir a un adulto que te eche una mano.

¿Qué necesitaré?

• Encontrarás cuentas para tus manualidades en muchísimas tiendas. Las hay de todos los colores, formas, tamaños y de diferentes materiales. Si no encuentras algún tipo, puedes sustituirlo por cualquier otro.

• Y también puedes hacerte tus propias cuentas. Con barro, pasta de papel, plastilina… y todo lo que se te ocurra.

¿Algún otro consejo?

• Para cortar o doblar el alambre de algunas manualidades, necesitarás unos alicates y la ayuda de un adulto. Pero también hay alambres más blandos que se pueden cortar con las manos.

• El cordón de algodón a menudo se deshilacha y cuesta pasarlo por las cuentas. Prueba a envolver un extremo con cinta adhesiva bien apretada.

UNAS MÁS FÁCILES QUE OTRAS

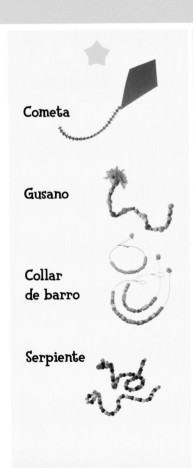

Cometa

Gusano

Collar de barro

Serpiente

Pulsera y anillo

Casa de alambre

Flores

Servilletero

Collar y pendientes

Punto de libro

Llavero bailarina

Collar estrellado

Pavo real

Cinturón